Abbaye de Fontenay

Patrick Boutevin

Editions GAUD

ad indaganda mysteria t
fortasse opis uacuare uide

EX

INC

NTE

sacri eloquii in
rium tanta est l
ut utriusq; par
hunc neq; nimie
deprimat⸱ neq; i
rie uacuum relinq
pe eius sententie
conceptione sui
eas ad solam ten
earu noticia p si
Nonnulle uero i
tis inseruiunt⸱ u
luis penetrare de
nil inueniat⸱ sed
foris locuntur ab
ne quoq; narrati
significatione di
uirgas populeas
linas⸱ & ex plata
ticauit eas⸱ detrac
his que expoliat
apparuit⸱ Illa u
uiridia p manser
modu⸱ color effe
& subditur⸱ Posu

Moines bûcherons.
Moralia in Job.
(Cîteaux, début XIIème siècle)
Dijon, Bibliothèque municipale.

I - L'HISTOIRE

NAISSANCE D'UNE ABBAYE

«Bernard naquit de parents illustres selon la dignité du monde, mais plus dignes et plus nobles encore par la piété de la religion chrétienne.»

Premier livre de la vie de Saint Bernard.

En ce jour d'octobre 1118.

Il y a en Bourgogne une grande force. Parfois, elle choisit des fils de sa terre pour les guider vers les destins infinis d'un lendemain sublime. On la reconnaît à un puissant éclat lumineux dans leurs yeux. Une lueur indomptable, comme celle que porte en son regard, ce 29 Octobre 1118, un grand et maigre jeune homme aux cheveux presque roux. Dans la forêt bourguignonne le voici qui marche d'un pas rapide, décidé, comme si rien ne pouvait l'arrêter. Qu'importe pour lui le froid qui engourdit ses membres, la pluie qui transperce ses habits, les ronces de l'étroit sentier qui l'écorchent. Son avenir est en marche. Mais bien plus encore -le sait-il seulement ?- chacun de ses pas fait avancer le destin de la chrétienté occidentale. L'homme n'est pas seul. Dans une clairière, près d'un étang, un manant du tout proche château de Touillon arrête le vol cadencé de sa cognée. Il croit tout d'abord voir un enchantement, si fréquent, dit-on, en cette forêt. Il regarde passer la petite troupe. Ils sont une douzaine, treize peut-être. Comme le Christ et ses apôtres. Tous sont vêtus de la même robe de laine écrue, presque blanche. Le paysan pose sa hache, rassuré. Ce ne sont point magies ou pis encore, brigands ou écorcheurs. Il a bien reconnu des moines. Mais alors qu'il va se remettre au travail, un chant aérien, douce mélopée, emplit la forêt:

Saint Bernard, miniature du XVIème siècle.

«Ecce quam bonum et quam jucundum habitare fratres in unum.», «Ô combien il est bon et agréable pour des frères d'habiter sous un même toit». La petite troupe des moines reprend comme l'écho ces paroles. Ceux qui ont lancé le chant sont deux ermites, les frères Martin et Millon. En entendant les moines leur répondre, leur visage s'est éclairé. Enfin ! Les voici ! La petite troupe s'arrête face aux ermites. Tous sont immobiles. L'homme au lumineux regard soulève son capuchon détrempé. La pluie se calme. Le temps semble suspendu. «Bernard ! Bernard de Clairvaux !» lancent alors les ermites à l'unisson. L'abbaye de Fontenay est à l'aube de son devenir.

Dans l'air gorgé d'humidité, dans les senteurs de feuilles mouillées, Bernard regarde autour de lui. Il connaît bien les lieux.

Tout ici lui rappelle son enfance, le temps où il se nommait encore Bernard de Fontaine, né en 1090 au bourg de Fontaine-lès-Dijon de bonne et noble famille. Son père, Tescelin dit le Sor -le roux- est seigneur terrien, sa mère, Aleth, est fille du puissant seigneur de Montbard. Il est le troisième fils de la maison qui compte six garçons et une fille. Son rang de naissance le prédispose tout naturellement à entrer dans les ordres. A Châtillon-sur-Seine, à l'école des chanoines de Saint-Vorles, il apprend la grammaire, la rhétorique et bien sûr le meilleur latin. Mais Bernard aime aussi l'action et ses frères aînés l'initient aux arts de la chevalerie. Souvent il est venu ici, au bord de cet étang, dans les profondeurs mystérieuses de la forêt, alors qu'il se rend chez son arrière-grand-père Varric, comte de Châtillon. Ici peut-être, au plus profond de la forêt bourguignonne, sa vie se trouva bouleversée. Une inextinguible soif d'absolu s'empara de son destin. Ici peut-être décida-t-il de partir en quête de Dieu.

Donc, il sut. Il serait chevalier du Christ. Il serait moine. Au printemps 1112 à vingt-deux ans, il prend le chemin de l'abbaye de Cîteaux. Cîteaux, cette citadelle de pureté, Cîteaux, ce bastion monastique au milieu des bassesses terrestres. En partant, sa volonté est si forte, son assurance si puissante, son regard si éclatant, que ses cinq frères, un de ses oncles et vingt-quatre de ses compagnons le suivent. Si certains sont des jeunes gens de bonnes familles bourguignonnes, tous sont en quête d'absolu. Nous sommes dans un Moyen-Age en pleine mutation qui voit s'éteindre la domination des grands empereurs germaniques, et resurgir les fléaux et les famines de toutes sortes tandis que les moeurs se relâchent sans cesse. Paradoxalement, l'époque est celle de la chrétienté, celle où la foi du Christ est commune aux différentes régions de l'Europe. Aussi

pour toute la jeune intelligentsia de la chrétienté occidentale, une grande quête de spiritualité commence. Jouvenceaux, et bientôt jouvencelles, de toutes provinces vont se mettre en marche. Face à leur attente, Bernard leur renvoie l'image du moine.

Le moine. A partir du IVème siècle il a été le symbole vivant de la vraie foi. Pour les nobles seigneurs, il est comme une bonne conscience, un sauf-conduit céleste comme nous le rapelle ce texte du Moyen-Age : *« Si nous établissons des monastères, si nous nous efforçons d'avoir pour amis les serviteurs de Dieu, dont les vertus font notre gloire et les prières notre défense ; si nous les élevons le plus haut possible dans les honneurs, les entourant de notre vénération et de nos complaisances, c'est parce que nous croyons par là augmenter la stabilité de notre royaume, la gloire de notre siècle, et notre part du céleste empire. »* Tout est dit... Alors comment s'étonner que la noblesse attribue aux monastères un domaine, leur accordent un sanctuaire et y placent souvent leurs fils ou filles quand leur progéniture est trop nombreuse... Mais la noblesse ce n'est pas toute la société. Loin s'en faut. Pour la grande majorité des hommes, pour le peuple, le moine est le protecteur. N'est-ce pas dans son monastère que l'on peut trouver refuge lors des guerres ou des razzias ? N'est-ce pas en son cloître, véritable vaisseau de pierre, que se trouve la paix ?

Suivre Bernard de Fontaine c'est retrouver tout cela. Et plus encore, c'est aller rejoindre les moines blancs, ceux qui, en s'opposant aux très puissants et très controversés «moines noirs», ont décidé de retrouver la pureté de la règle de Saint Benoît loin des concessions du monde.

Voici pourquoi ils furent si nombreux à suivre Bernard de Fontaine. Voici comment débuta la très noble et très édifiante aventure de celui qui allait devenir Saint Bernard. Bientôt, Saint Bernard influencera pa-

Moines "pliant un linge"
Moralia in Job
(Cîteaux début XIIème siècle)
Dijon, Bibliothèque municipale.

pes et rois, évêques et nobles l'écouteront, prêtres et serfs l'entendront. Toute la Chrétienté résonnera de ses paroles. Comme en ce jour de 1147 lorsque la seconde croisade partira d'un de ses prêches, à Vézelay. Mais tout cela n'est que peu de choses... Un an après son arrivée à Cîteaux Saint Bernard repart et continue de créer des abbayes. En 1115 il fait naître, en Champagne, Clairvaux. Saint Bernard en sera le supérieur, l'abbé, et deviendra pour tous Bernard de Clairvaux.

Plus rien ne retiendra désormais cette vague immense. L'Europe, dans le lignage de Cîteaux, du Nord au Sud, de l'Est à l'Ouest va se couvrir d'abbayes. En 1153, trois cents quarante-cinq abbayes auront été fondées dont près de soixante-dix seront filles directes de Clairvaux. Toutes obéiront à une même loi : la règle de Saint Benoît. Ensemble, elles formeront l'immense édifice de l'ordre cistercien dans lequel, au fil des siècles, nuit et jour, prieront, sentinelles de la foi, les moines blancs.

Les cisterciens, pureté et perfection chrétienne.

Car Saint Bernard est bien un moine blanc, un cistercien. Oui, sa robe est blanche. Et ce n'est pas là un simple détail vestimentaire. Bien au contraire, c'est un symbole. L'image même d'un mouvement de réforme qui secoue le monde des moines.

Pour bien comprendre cette formidable histoire où Saint Bernard tint le premier rôle, il nous faut aller en Italie, en Ombrie, tout au début du Vème siècle. Là, au bourg de Norcia, nous retrouvons Benoît, jeune noble né en 490. Très vite il voue sa vie à la prière. Afin de mener à bien sa méditation, il décide de devenir ermite et passe trois années dans une grotte. Il suit ainsi le chemin de l'égyptien Saint Antoine le Grand ou de Saint Pakôme qui vivaient en Orient et au Moyen-Orient à la fin du IIIème siècle. Leur exemple parvient en Occident dès le IVème siècle par les écrits de Saint Athanase, évêque d'Alexandrie. Quelques années plus tard, Benoît fonde une communauté au Mont Cassin. Là, entre 543 et 560, le futur Saint Benoît réalise l'oeuvre de sa vie, l'écriture d'un principe monastique pour son abbaye, basé sur le silence, l'obéissance et l'humilité. Cette règle s'imposera bientôt dans les monastères de l'Eglise latine. Saint Benoît devient le père des moines d'Occident. L'ordre bénédictin est né.

Pendant longtemps, la stricte règle bénédictine «ora et labora», prie et travaille, va être observée sans manquement dans les très nombreux monastères de l'ordre où les moines bénédictins s'habillent d'une robe foncée, devenant les moines noirs. Mais au fil des siècles la discipline se relâche. Les monastères bénéficient de largesses seigneuriales, de dons, d'héritages. Certains princes vont même jusqu'à s'y faire ensevelir. Ainsi favorisées les abbayes se constituent un immense patrimoine de terres et de richesses les plus diverses. «L'empire» de l'abbaye de Cluny fondée en 909, qui compte 1200 prieurés prospères et dont les abbés sont issus de l'aristocratie, en est une preuve. Bientôt, les contingences terrestres se substituent à l'idéal monastique. La rigueur disparaît entraînant avec elle la stricte observance de la règle de Saint Benoît.

Dans les congrégations de moines aussi, une volonté de retrouver la pureté de la règle semble voir le jour. L'un d'entre eux s'appelle Robert de Molesme. Il est moine à Moûtier-la-Celle en Champagne puis dirige l'abbaye de Saint-Michel de Tonnerre avant de devenir prieur de Saint-Aynoul de Provins. Mais rien en ces monastères ne lui convient. Et surtout pas la façon de prier. Alors, en 1075 il s'en éloigne. Avec quelques ermites, dans la forêt de Molesmes, il établit une première communauté. Très vite celle-ci attire des adeptes de plus en plus nombreux. Comme pour les abbayes dont il s'éloigne, Robert voit, avec ces nouvelles recrues, affluer dons et largesses. Qu'importe, puisqu'il en est ainsi, il ira encore plus loin. Dans un lieu où «les hommes n'avaient pas coutume d'accéder à cause de l'opacité des bois et des épines; seules y vivaient les bêtes sauvages». Le 21 mars 1098, jour de la Saint Benoît, avec vingt et un compagnons il fonde, à cinq lieux de Dijon sur les terres du vicomte de Beaune, Renaud et de Eudes, duc de Bourgogne, le «Nouveau Monastère», Cîteaux.

Cîteaux est bien plus qu'un lieu de prière. Cîteaux est le creuset, le modèle même, la mère de l'ordre cistercien. Ici la règle de Saint Benoît se veut être appliquée dans sa scrupuleuse vérité. Dans les faits, l'abbé Robert, mais surtout ses successeurs, Albéric puis Etienne Harding, vont effectuer une relecture de la règle. Ils l'adapteront à leur monde, très différent de celui que connut Saint Benoît. Par exemple la vie communautaire se trouve renforcée et si le moine doit vivre pauvre, il faut cependant assurer la survie de la communauté.

Donc, à Cîteaux, les moines acceptent de posséder. Mais ils refusent la seigneurie des terres qu'ils travaillent eux-mêmes. Malgré cette relecture temporelle, le dessein

Page suivante :
L'étang Saint-Bernard,
la fondation de l'Abbaye commence ici.

des cisterciens en leur monastère reste le même : jour après jour, ils veulent gravir douze degrés d'humilité et accéder à cette condition où l'homme purifié peut espérer reconnaître en lui la présence divine.

C'est cette règle que Saint Bernard a choisi de vivre en se présentant avec ses compagnons, au printemps 1112, à l'abbé de Cîteaux, Etienne Harding. Un abbé qui le reçoit avec joie et espoir tant il est vrai que l'ordre, bien que récent, à bien besoin de sang neuf pour redonner vigueur à la communauté.

C'est ici que se referme le grand livre de la genèse de l'ordre des cisterciens, moines blancs, et que s'ouvre celui de la création de l'abbaye de Fontenay.

Le désert chrétien.

Ainsi, nous retrouvons, Saint Bernard en l'ermitage des frères Martin et Millon, ce 29 octobre 1118. Le peuple appelle l'endroit Chastelot, nobles et clergé le décline en latin, Castellum. Il est vrai que l'endroit, érigé sur une roche, entouré de petits murs, maigres barrières contre les animaux sauvages, peut ressembler à un «petit château». Malgré l'accueil plus que chaleureux, Saint Bernard s'éloigne du groupe. Ses compagnons le savent bien, en les menant ici Saint Bernard accomplit une de ses missions divines. Dans ces instants, il est comme transporté par la Grâce. Il faut le laisser seul. De nouveau Saint Bernard embrasse d'un long regard le paysage. «Oui, ce lieu est un désert. Oui, ici, le rêve cistercien peut être vécu.» Mais de quel désert parle t-on ? De quel rêve s'agit-il ? Les moines blancs n'ont qu'un rêve. Ils aspirent à vivre pleinement, la sagesse de Saint Benoît, la pureté des premiers ermites. Pour cela, comme Saint Antoine le Grand ou Saint Pakôme ils veulent habiter le désert. Mais en nos contrées bien sûr, le désert n'existe pas. Alors ces hommes en ont fait un mythe. Le désert sera en des lieux retirés, inaccessibles, désolés. Marais et broussailles, ascétisme et solitude, *«locus horroris et vastae solitudinis»*, lieu d'horreur et de vaste solitude ; voici ce que recherchent les cisterciens. Tout cela existe ici, au milieu de l'épaisse forêt bourguignonne du grand Jailly.

Bernard descend maintenant dans le vallon que surplombe le rocher des ermites. Immobile, il regarde jaillir une source d'eau claire. La vue de cette eau vivante semble avoir comme apaisé, rassuré Saint Bernard. Il sait aussi que non loin, si l'on prend la peine d'établir une carrière, on peut trouver de la solide et belle pierre. Et puis il y a tous ces bois. Ils seront source de chaleur mais surtout ils seront poutres, solives et portes.

L'eau, la pierre, le bois. «Tout est là.» Au milieu d'un parfait désert. Tout ? Oui, tout ce qu'il faut pour faire naître ici la deuxième des filles de Clairvaux, Fontenay.

LA CITE CELESTE

«Nous y vannerons, nous y moudrons, nous y pétrirons, nous y cuirons et nous y mangerons -non sans sueur intérieure- la semence de la parole divine.»

Isaac de l'Etoile, sermon 24.

Bâtisseurs de Lumière, créateurs de Sacré.

En ce vallon, la source nourrit un étang. En ce vallon, la foi nourrira les frères de Cîteaux ! Avec l'oeil du berger qui s'apprête à laisser paître son troupeau, rien du lieu n'a échappé à Bernard. Il sait, il a décidé. C'est là que s'établira une nouvelle communauté, qu'un jour, de miel et d'or, jailliront les murs d'une abbaye. Ses frères auront grand labeur ! Broussailles, ronces, marécages se-

La source de l'étang Saint-Bernard.

ront leurs peines, le prix à payer pour se rapprocher de Dieu.

Serein, Bernard veut partir. Mais il ne laisse pas seuls ses compagnons. Il leur donne *«la lumière de ses yeux, le bâton de sa vieillesse»*, Godefroy de Rochetaillé, comte de Châtillon, seigneur de Laignes, frère de Tescelin et donc oncle de Bernard. Il sera le premier abbé de Fontenay.

Une dernière fois Bernard se retourne. La Nature, lui a encore beaucoup appris. *«tu trouveras quelque chose de plus dans le bois que dans les livres. Les arbres et les rochers t'enseigneront ce que tu ne peux apprendre d'aucun maître.»* écrira t-il un jour.

Bernard reprend, infatigable chevalier de Dieu, le chemin de Clairvaux.

Acharné, investi de sa mission, le petit groupe se met au travail. Il faut tout faire. Qu'importe, Dieu est au bout du chemin ! Les moines brûlent les ronciers, assainissent le pourtour de l'étang, retournent la terre pour la rendre cultivable, établissent un modeste clos potager, agrandissent les murets des ermites, construisent un enclos pour quelques animaux domestiques, un abri pour eux mêmes. Et ils prient. Prient, sans répit. Comme pour purifier ces lieux des miasmes du Malin. Les journées sont interminables. Aucune saison ne laisse de répit. Saint Bernard, où qu'il soit, demande des nouvelles de la petite colonie. De loin il la protège. Il écrit à son attention son premier grand ouvrage, un traité de perfection chrétienne : *«de Gradibus humilitatis et superbiae»*. Le soir, éreintés, les frères écoutent Godefroy leur en lire quelques passages. L'espoir renaît, les tentations s'éloignent.

La ferveur de la communauté est si convaincante que, bientôt, nombreux sont ceux qui viennent la rejoindre. Au début Godefroy accueille avec joie ces nouveaux venus. Mais très vite, il lui faut être réaliste. Les ressources du vallon ne suffiront bientôt plus à tout ce monde. Et même si chacun travaille, les terres manquent !

En 1130, douze années après leur arrivée, les moines doivent trouver un lieu mieux adapté à leur nombre. Godefroy connaît ce lieu. Il est tout proche, à quelques centaines de toises de l'étang originel, au confluent de la combe où il est niché et d'un ru qui coule dans une combe de la vallée de la Brenne. L'endroit est un parfait «désert». Mais Godefroy veut aussi assurer l'avenir matériel de la congrégation. Il faut, une fois de plus, faire appel à la générosité de la famille de Saint Bernard. La terre est la propriété de Raynard de Montbard, l'oncle maternel de Bernard, et d'Etienne de Bagé, 52ème évêque d'Autun. L'affaire est rondement menée, Raynard donne le terrain et l'évêque favorise l'établissement des religieux.

Godefroy est pleinement heureux. Sa communauté, si miséreuse jusqu'alors, va pouvoir habiter une vraie maison, fonder une abbaye. Le souhait de Saint Bernard prend forme. Mais si l'endroit est vaste, il est marécageux, si c'est un don, il est couvert par endroit de bois impénétrables ou de friches incultes. Les moines découvrent le site. Désolation. Face à eux ils retrouvent le même paysage que lors de leur arrivée à l'ermitage. En plus grand... Les moines vont-ils se décourager ? Vont-ils abandonner leur fabuleux projet, leur merveilleux idéal ? C'est bien mal les connaître. En quelques secondes, sans un mot prononcé, sans un regard échangé, tous se sont décidés. Ils construiront ici leur cité céleste ! Allez ! Que commence le chantier !

Le chantier de la ferveur.

Tous se préparent. On installe de frêles tentes, de petites cabanes de bois, qu'importe le confort. On baptise immédiatement cet éden. Il y a tant d'eau, tant de sources et de résurgences que l'abbaye devra comme flotter sur celles-ci. Oui c'est cela. On l'appellera «qui nage sur les sources» Fontenaium, Fontenat, Fontenet et bien plus tard, Fontenay. Le désert n'est pas encore conquis que déjà il se transforme en paradis... Le rêve est en marche.

On construira grand ! C'est l'époque qui le veut. Les régions s'enrichissent, la fertilité agricole gagne du terrain, le commerce est de plus en plus florissant. Grâce soit rendue à Dieu pour tous ces bienfaits. On construira beau ! En respectant la règle !

Dans les yeux des frères le monastère est déjà là, glorieux, magnifique. Mais tout reste à faire. Avant de poser la première pierre il faut assainir l'endroit. L'eau perfide, incontrôlée, sournoise doit être vaincue, domestiquée, canalisée. Ah le beau cadeau du seigneur Raynard et de Monseigneur l'évêque ! Une éponge ! Et bien montrons-leur à tous que la foi peut assécher les marais. Mais il ne faut pas brusquer la nature. Aussi le défrichage s'effectue selon un rite presque religieux. Le prieur plante une grande croix de bois au milieu du terrain puis lance de l'eau bénite sur les broussailles. Alors rentrent en action les «coupeurs» qui découpent arbres et buissons suivis des «extirpateurs» qui arrachent les racines et enfin les «brûleurs» qui attisent d'immenses feux. Tous sont des «essarteurs» qui vont totalement défricher le terrain.

Bientôt il va falloir creuser des drains. Là, on marque un temps d'arrêt. Là surgit le premier grand obstacle. Tant qu'il s'agissait de débroussailler, de brûler, les moines pouvaient suffire à la tâche. Mais maintenant ? Le labeur est gigantesque. Il va falloir de plus en plus de main d'oeuvre. Que faire ? Les cisterciens ont décidé de vivre la règle de Saint Benoît à la lettre. Et celle ci est claire: les moines doivent travailler de leurs propres mains. Pas question d'agir comme les moines noirs, les cluniciens, qui réservent à des serfs les dures besognes manuelles. Malgré tout, il faut être réaliste. La tâche est si grande qu'il faut se faire aider par les paysans de la région, heureux de trouver

Dans le parc de l'Abbaye,
l'eau canalisée, assagie.

travail, nourriture et gîte. Certains restent salariés. D'autres, comme dans toutes les abbayes cisterciennes, deviennent religieux. Ce sont les convers, intégrés à la vie du monastère même s'ils ne vivent pas avec les moines. Leur grande barbe et le fait qu'ils ne portent pas de scapulaire, cette étoffe que revêtent les moines sur leur robe, les distinguent. Des convers, des salariés, des serfs... La Règle subit quelques altérations mais le travail, désormais, avance vite. Les drains sont rapidement creusés. L'eau sauvage recule... Ce n'est pas pour autant qu'on la chasse totalement. Avec l'eau, les moines peuvent se laver, se désaltérer, entretenir leurs cultures. Mais aussi, l'eau, c'est l'énergie. Elle fait tourner la roue du moulin qui moud les céréales et les graines oléagineuses. Elle entraîne celle du martinet cette machine qui, à chaque retombée de son marteau, affine le métal. Car les cisterciens sont aussi des sidérurgistes et nous les verrons bientôt au travail. L'eau permet donc la vie autarcique totale, comme l'ordonne la Règle. Sur le chantier, où le terrain est maintenant totalement défriché, sont édifiées des retenues, posés des captages, creusés des drains. Au nord, coupant la combe de l'ermitage, on construit une digue, et une autre, à l'est, qui arrête le cours du ruisseau et le renvoie vers le sud de la vallée. Bientôt on installe des canalisations de terre cuite. Elles amèneront l'eau sous pression dans le monastère.

Coudée après coudée, moines, convers, serfs, ont fait reculer le marais. Pendant ce temps, d'autres moines ont agi. Ils ont légalement installé la propriété de la communauté puis dressé, à ses limites, de grandes bornes de pierre. Personne ne pourra les ignorer. Elles portent la marque du couvent, son emblème : un écu et une crosse abbatiale. Et comme cela se faisait toujours, les moines ont fait ajouter, sur l'autre face, les armoiries de Raynard de Montbard...

La pierre de Fontenay :
la couleur du miel,
la douceur du velours.

Borne du domaine de l'Abbaye de
Fontenay, XVIème siècle.

Bientôt les moines dressent leur premier édifice. C'est une église. Elle est petite, modeste. Mais ô combien symbolique. Ils la dédient à Saint Paul. La ferveur de tous s'en trouve fortifiée.

Un jour arrivent sur place les carriers et leurs lourds tombereaux. C'est un signe. Les premiers blocs de pierre commencent à encombrer le chantier. Une pierre de miel, douce comme du velours. On va l'extraire dans une proche carrière, un peu au-delà de l'étang des ermites. Cependant, si elle convient bien aux fondations on ne l'utilise pas pour les fûts de colonnes, les arcs des voûtes ou les montants de portes. Pour tous ces assemblages on va chercher dans l'Yonne, sans doute à Massangy dans le Tonnerrois à plus de trente kilomètres, une pierre de meilleure qualité.

Quelle agitation désormais ! Le chantier de Fontenay est une symphonie d'outils

Le cloître, galerie Est.

de toutes sortes. Voici le choc métallique des «dents de chien», les ciseaux à pierre à deux dents des tailleurs de pierre. Plus loin, cadencé, sourd, c'est le son des herminettes des charpentiers qui équarrissent une poutre. Un grincement encore. Là-bas on monte une pierre en haut d'un mur avec un treuil à roue. Auparavant, deux tâcherons se sont occupé de l'égaliser. Leur travail est si précis que les pierres peuvent être assemblées presque sans mortier.

Plus loin encore le feu crépite sous un four où cuisent des tuiles. Pour tous l'activité est intense et si les moines ont fait venir artisans et manoeuvres, ce sont eux qui demeurent les vrais maîtres de l'ouvrage. La construction, enfin, est commencée.

Godefroy, le premier abbé, a accompli plus que son devoir. Mais il veut quitter Fontenay. Son neveu Bernard, qu'il n'a cessé de tenir au courant de l'avancement des travaux, lui manque. Il va le retrouver à Clairvaux. Nous sommes en 1132.

C'est le neveu de Bernard, Guillaume de Spiriaco, qui prend la succession. Le cloître et le grand dortoir sont sortis de terre. Mais la construction se ralentie. Nul grief ne peut être fait à l'abbé Guillaume, le chantier coûte une fortune. Alors toute la noblesse de Bourgogne se penche sur le berceau de l'abbaye. Une abbesse donne de la vigne, un seigneur de la terre, des évêques un village. On cède des privilèges, droits de pêche et de couper du bois, droit de chasse et de pas-

A l'emplacement de ces superbes jardins s'étendait autrefois le jardin des "simples". Au fond, le batiment comprenant au rez-de-chaussée la salle capitulaire et la salle des moines, et au premier étage, le dortoir.

Page suivante :
bulle du pape Alexandre III datant de 1168 et installant l'Abbaye de Fontenay dans toutes ces possessions et privilèges.
Visible à l'Abbaye de Fontenay.

sage. La papauté elle-même se soucie de Fontenay. Les papes édictent des bulles qui mettent l'abbaye, ses biens, ses privilèges et ses personnes sous la protection du Saint-Siège. Et malheur a qui transgressera cette protection. Il pourra être excommunié ! La haute noblesse dote aussi Fontenay de grands avantages. Hugues II, duc de Bourgogne reconnaît au monastère le droit de haute, moyenne et basse justice. Une arme terrible. L'armure juridique de l'abbaye est sans faille.

Cependant, d'argent, sonnant et trébuchant, point !

Le salut arrive en 1139, d'Angleterre. Là-bas un évêque, Ebrard de Norwich, quitte sa contrée, l'Est-Anglie, abandonne son évê-

ché. Il est fatigué des incessantes luttes de pouvoir qui l'entourent. Lui ne veut qu'une chose : consacrer sa vie à Dieu. Pour cela il choisit Fontenay. Ebrard de Norwich possède une immense fortune. Elle devient celle de Fontenay et Ebrard son bienfaiteur. Le cloître, le grand dortoir, les salles capitulaires sont enfin achevés. Alors qu'il fait ceindre de murailles le monastère, Ebrard décide d'offrir à la communauté son église. Enfin ! Huit années plus tard, en 1147, l'âme de l'abbaye rayonne, superbe. L'église a 66 mètres de long, 19 de large. Sa nef culmine à près de 17 mètres de haut.

Merci Ebrard. Mais l'église n'est rien si Dieu ne l'habite pas. Le 21 septembre 1147

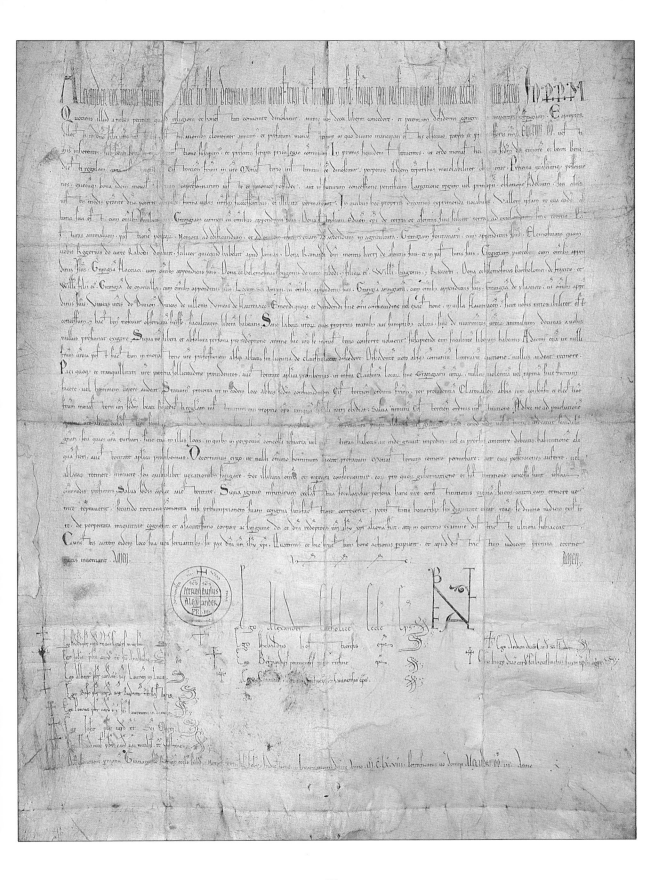

L'église de l'Abbaye, façade ouest.

Page suivante : l'église, élévation de la nef.

c'est le plus beau jour de l'abbaye : son église va être consacrée.

Dix cardinaux, huit évêques, les abbés de l'ordre de Cîteaux, une multitude de chevaliers et seigneurs de Bourgogne, plus de trois cents moines emplissent la nef. Ouvriers du chantier, hommes, femmes, enfants de la région, ils sont des centaines à se presser dans les collatéraux. On attend avec impatience le pape. Le voici, c'est Eugène III. Coiffé de la tiare papale, il entre dans l'église. Arrivé au choeur il bénit le temple. L'émotion est considérable. Bernard de Clairvaux est là. Ses yeux brillent... Bernard resplendit. Dieu est entré pour toujours à Fontenay.

Le monastère a désormais une âme. Mais ce n'est pas pour autant que s'arrête ici sa construction. Après avoir achevé leur univers de prière, les moines vont maintenant créer leur terre de labeur. En cette fin du XIIème siècle ils édifient la première salle de la forge. La forge puisera sa force d'un étang que l'on creuse au-delà de la digue retenant le ruisseau de Touillon. Avec les années la communauté s'agrandit et à la fin du XIIIème siècle on construit un grand réfectoire.

Le grand voyage des siècles.

«Les anglois ! Les anglois sont là !» Ce cri qui emplit la vallée de l'abbaye de Fontenay plonge les moines dans la terreur. Car en cette année 1359 on connaît déjà, ici, la violence et la cruauté de ces anglais contre qui les armées du roi de France ont entamé dès 1337 une interminable guerre, la «guerre

L'eau, omniprésente, source d'énergie pour la forge.

de cent ans». En effet, en 1350 l'abbaye s'est jointe à d'autres communautés pour leur payer une énorme rançon afin de libérer la région. Et les voici maintenant qui saccagent l'abbaye.

Ce n'est là que le premier coup de boutoir dans la quiétude des moines. Plus jamais Fontenay ne retrouvera le temps béni et calme de l'époque de sa fondation. Son histoire est désormais celle d'une lente agonie. En 1361 on pense à une accalmie. Edouard III, roi d'Angleterre donne 40000 moutons d'or à la communauté. Cette somme énorme servira, entre autres, à restaurer l'église. C'est aussi au XIVème siècle qu'est édifié le colombier et le chenil puis l'enfermerie. Mais dès 1419 ce ne sont plus les anglais qui pillent l'abbaye mais les brigands. Et le sac recommence, régulièrement entre 1440 et 1450. Pourtant le bon Duc de

Bourgogne, Philippe le Hardi, avait autorisé les moines à ceindre leur monastère de murs. Mais rien n'y fait. Ecorcheurs, Rôtisseurs, Robeurs, ravagent et dévastent l'abbaye qui voit brûler lors d'une de ces attaques le dortoir et son étage inférieur. Il faudra attendre Jean Frouard de Courcelles-Grignon, abbé de 1459 à 1493, pour que soit reconstruite cette aile où la salle du chapitre et la salle des moines sont alors amputées d'une travée.

Devant tant de malheurs Fontenay implore la protection des puissants. Ainsi, Charles VIII prend l'abbaye sous sa protection et ordonne à son bailli d'Auxois de défendre les intérêts du monastère. Plus tard, Louis XII permet aux moines d'édifier en plus des murs des tourelles et des fossés.

Mais ces protections, tout comme les privilèges dont l'abbaye profite, vont signer sa perte. Car les temps ne sont plus aux pleins pouvoirs du clergé. L'autorité royale s'est affermie. Et Fontenay devient abbaye royale. Conséquence immédiate, droit royal, la «commende» est établie. Nous sommes en 1547 et désormais les abbés de Fontenay vont être nommés par le roi. C'est un immense malheur. Car les abbés commendataires -on en verra de toute nature, même un adolescent de 13 ans- vont ruiner le monastère. C'est en ce XVIème siècle que la petite église des fondateurs, dédiée à Saint Paul est démolie.

Et les pillages reprennent. C'est la guerre de religions. Entre 1590 et 1595 ce sont les incessantes attaques des partisans de la Ligue, Lansquenets allemands, Armagnacs et Huguenots de toutes sortes... Les moines ne sont bientôt plus que 50 puis 25 puis, en 1636, 22. Les convers eux se sont sauvés depuis longtemps. Insuffisants à la tâche, les moines ont mis leurs champs en fermage. Mais très vite les fermiers refusent de payer les loyers.

En 1745 le réfectoire menace de s'écrouler. On le détruit. Puis c'est au tour du lavabo, des cuisines, du porche de l'abbatiale et de son jubé construit entre la nef et la croisée du transept. Outrageusement, à la même période, se construit le beau logis des abbés commendataires.

Avec les prémices de la Révolution, c'est la fin. Le 13 janvier 1790 l'Assemblée Nationale déclare que tous les biens des communautés religieuses appartiennent à la nation. Lui emboîtant le pas, le Directoire de Semur prend possession de l'abbaye qui devient bien national.

Le 29 octobre 1790, 672 ans jour pour jour, très exactement, après sa fondation, l'âme de Fontenay fusionne dans les méandres de l'Histoire : toute vie religieuse s'y éteint.

Le colombier

La vallée industrielle.

«*Le domaine de Fontenay avec ses propriétés, bois, prés et champs est vendu au ci-devant Claude Hugot domicilié à Précy sous Thil pour la somme de 78000 francs.*» C'est ainsi que bascule le destin de l'abbaye en ce 12 avril 1791. Le nouveau propriétaire n'a pas fait une mauvaise affaire. Il le sait bien d'ailleurs : toute l'énergie de l'abbaye, sa force hydraulique est encore utilisable. Autre intérêt, les locaux sont immenses et vides. Les huit derniers moines ont été énergiquement expulsés. Claude Hugot décide immédiatement d'y installer une papeterie.

Le dépeçage continue. En octobre de la même année les cloches, les boiseries, les stalles, l'autel, les livres de la bibliothèque et l'argenterie du monastère sont vendus lors d'une vente aux enchères qui va durer 7 jours et rapporter 5000 francs à la nation.

Cinq ans plus tard, Claude Hugot vend l'entreprise à Eloi Guérin. C'est Anne Guérin, sa fille, qui lui succédera et qui cédera l'affaire le 3 octobre 1820. L'acquéreur est Louis-Elie de Montgolfier, fabricant de papier à Annonay, de la famille des célèbres frères de Montgolfier, inventeurs de la montgolfière.

Désormais, et jusqu'à nos jours, Fontenay restera dans le même cercle familial. Ainsi, en 1836, Louis-Elie de Montgolfier vend son exploitation à son beau-frère Marc Seguin. Marc Seguin est le prototype même de l'ingénieur du XIXème siècle. Il est bien plus encore, c'est un génial inventeur. Génial et fécond. Les ponts suspendus, la chaudière tubulaire équipant les toutes premières vraies locomotives à vapeur, un projet de train à grande vitesse, c'est lui. A Fontenay il construit un observatoire astronomique et tente sans cesse de nouvelles expériences. Il aime énormément l'abbaye et parcourt souvent le cloître la tête pleine de projets comme celui de réunir à Fontenay, autour de la papeterie, des chercheurs et des écrivains mais aussi une imprimerie. C'est aussi un bon gestionnaire qui redonne à la papeterie une excellente santé. Cependant, éclectique et sans cesse actif, il n'a pas le temps de s'occuper totalement de Fontenay qu'il confie à ses gendres Laurent et Raymond de Montgolfier.

Nous sommes alors au milieu du XIXème siècle. La papeterie est très dynamique et fonctionne bien. On y fabrique du papier pur chiffon et du papier buvard. Trois cent soixante ouvriers y travaillent. Les bâtiments sont exploités au maximum. L'église est un vaste entrepôt qui abrite aussi une chaudière à vapeur. Le bas-côté nord est

Au XIXème siècle, l'intérieur de l'église encombrée du matériel de la papeterie.

transformé en bûchers tandis que dans le bas-côté sud on a mis une étable et une chapelle pour les ouvriers. Les galeries du cloître, surélevées d'un étage, divisées en ateliers accueillent aussi une cuisine. Dans la salle capitulaire sont installées les trieuses de papier. La forge a reçu un étage supplémentaire et de multiples appendices la défigurent. De nombreux petits bâtiments, granges, buanderies, remises, sont venus se greffer çà et là autour des édifices originels.

Enfin deux grandes cheminées de 60 mètres règnent sur ce monde industriel.

En 1873 les fils de Laurent et Raymond de Montgolfier leur succèdent. Les deux cousins fondent la société anonyme des papeteries de Montbard. Mais le progrès a

La vue de l'Abbaye au XIXème siècle. Les hautes cheminées ne seront détruites que vers 1910.

Les salles voûtées de la forge servent au XIXème siècle de remises pour l'outillage.

dépassé Fontenay. La force hydraulique n'est plus suffisante à une production sans cesse plus importante. En 1902 le silence retombe sur la vallée.

La restauration perpétuelle.

Ce silence aurait pu être perpétuel... Mais en 1906, un lyonnais, Edouard Aynard, rachète l'abbaye à son beau-père, Raymond de Montgolfier.

Edouard Aynard est l'un de ces grands initiateurs des progrès économiques et sociaux du milieu du XIXème siècle. Un de ces hommes qui ne se contentèrent jamais de vivre dans un acquis confortable. Banquier, il est aussi régent de la Banque de France. Economiste, il devient Président de la Chambre de Commerce de Lyon, s'intéresse à l'industrie de la soie et réorganise l'outil industriel lyonnais. Homme politique, il est vice-président de la Chambre des députés et député «républicain progressiste» du Rhône.

Edouard Aynard était aussi un grand amateur, collectionneur et connaisseur d'art. Membre de l'institut de France il préside les musées lyonnais et fonde à Lyon le musée des tissus.

Mais son plus grand titre peut-être fut d'être amoureux de l'abbaye et de donner naissance à une lignée de descendants tout aussi passionné que lui.

Expérience de la Machine Aérostatique de M. Mongolfier au Chât. de la Muette, le 21 9bre 1783.

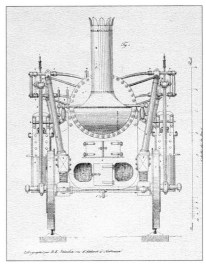

Machine locomotive du chemin de fer de Lyon à Saint-Etienne imaginé par Marc Seguin en 1830.

Expérience de la Machine Aérostatique de M. Mongolfier au Château de la Muette, le 21 novembre 1783.
A son bord Pilatre de Rosier et le Marquis d'Arlandes.

Quand on aime, dit-on, on ne compte pas. Edouard Aynard aima beaucoup Fontenay. Il y consacra plus de 25 millions de nos francs actuels. De 1905 à 1911 il s'attache à rendre au site son aspect originel. Il fait démolir les trois usines qui encombrent la vallée, les grandes cheminées et plus de 4000 m2 de bâtiments «parasites» en employant le plus d'anciens salariés de la papeterie possible. Dans un même temps on abat l'étage supplémentaire de la forge et celui du cloître dont on reconstruit l'aile orientale. Enfin le sol de l'église est abaissé de 0,80m, retrouvant ainsi son niveau initial.

Son fils, René Aynard lui succéde avec autant d'énergie. Il avait une idée très précise de ce que devait être la restauration de l'abbaye. Selon lui, celle-ci devait être authentique plutôt que trop importante et une observation minutieuse était l'acte préliminaire à toute rénovation qui devait être réalisée, au maximum, avec des matériaux locaux. Il décide ainsi de ne pas reconstruire le lavabo, le réfectoire ou le porche et préfére «seulement» faire abaisser le toit de la forge à son niveau du Moyen-Age.

Son fils, Pierre Aynard, prend le relais et restaure le dortoir des moines.

Edouard Aynard entouré des siens.
Une famille passionée par l'Abbaye
de Fontenay.

Le château d'eau,
édifié au XIXème siècle.

Aujourd'hui l'arrière petit-fils d'Edouard Aynard est devenu le dépositaire de Fontenay. Ainsi, Hubert Aynard et son épouse Dominique ont achevé la rénovation du dortoir, aménagé les jardins et rendu à la forge l'exacte disposition de ses salles. En plus de cette restauration perpétuelle il faut aussi assurer l'entretien des bâtiments qui s'étendent sur un hectare et des toitures qui représentent 20000 m2 de surface. Hubert et Dominique Aynard ont également organisé l'ouverture au public de l'abbaye qui est inscrite depuis 1981 au Patrimoine Mondial culturel et naturel de l'UNESCO et dont le site environnant, vallon et massif forestier, est classé depuis 1989 «site protégé» par le Ministère de l'Environnement. Enfin leur fils, François Aynard, assurera la préservation à venir de cet exeptionnel ensemble.

Ainsi conservée par des générations de passionnés éclairés, Fontenay est désormais le plus complet et plus bel exemple d'une abbaye cistercienne. Et comme l'écrivit un jour Edouard Aynard : *«Dans la paix claustrale du vallon de Fontenay, les eaux, les bois et les pierres consacrées fraternisent ensemble, comme huit siècles auparavant.»*

II - LA VISITE

«Univers de prière, terre de labeur.»

Salle par salle, proposition pour une visite de l'abbaye au Moyen-Age au rythme de la journée monastique.

(Les numéros entre parenthèses renvoient au plan, à la fin de la brochure)

«L'oisiveté est ennemie de l'âme. Aussi les frères doivent-ils être occupés à des heures fixes au travail manuel et à la lecture de l'Ecriture...»
Règle de Saint Benoît chapitre XLVIII

Nous voici au milieu du Moyen Age. Immense privilège, nous allons vivre avec les moines, dans l'abbaye, une journée complète à leurs côtés, dans leur univers de prière, sur leur terre de labeur.

Faisons vite, le sacristain sonne l'une des deux cloches du monastère. L'une règle les offices, l'autre le travail. C'est elles qui rythment chaque moment de la vie de l'abbaye, c'est à elles que nous obéirons.

Le dortoir (1).

Il est un peu plus de quatre heures du matin. Au coeur de la nuit, le dortoir **(1)**. Les moines s'éveillent. Ils sont une centaine peut-être à dormir tout habillé, après avoir rabattu leur capuchon. Leur couche n'a rien de confortable, une mince paillasse à même le sol. Un drap, une couverture de laine et un oreiller l'agrémentent. Chaque moine est séparé de son voisin par une cloison basse et les couches sont disposées en deux rangées. On souffle la chandelle. Elle a éclairé le dortoir depuis le coucher. Comme pour veiller sur les moines. Car c'est la nuit que les tentations rampent, alors que chacun s'abandonne au sommeil. Pour s'en préserver, tous les cisterciens construisent leur dortoir en élévation. Chacun fait vite, il faut se lever sans attendre et il est interdit de s'asseoir sur sa couche sauf pour enlever ou mettre ses chaussures. Tout se fait en silence.

Silence, obéissance, humilité. Trois mots pour suivre Dieu. Trois mots pour une vie. Car les moines ont engagé leur vie, toute leur vie. Ils ont d'abord été novices, dès l'âge de quinze ans pour certains. Puis, dans la joie d'avoir surmonté cette première étape, ils ont prononcé leurs voeux : obéissance -impliquant pauvreté et chasteté-, stabilité -ils resteront dans leur communauté jusqu'à la mort-, conversion -l'examen de soi sera perpétuel-. Dans la joie toujours.

Pour vivre cet absolu, leur quotidien sera fait de travail manuel, de lecture et de prière. La prière, dont le moment le plus

Page suivante :
Vue de l'église vers le choeur.

Page de gauche :
Le clocher du cloître.

Le dortoir des moines.

intense est l'office. Il a lieu sept fois le jour et une fois la nuit à des heures symboliques.

C'est pour le premier office, Vigiles, que la cloche a retenti. Nous retrouvons les moines, sortant du dortoir, ils descendent, encore tout endormi, l'escalier de vingt-quatre marches qui les conduit à l'église. Là s'élève leur première prière.

L'église (2)

L'église de Fontenay **(2)**, nous l'avons vue se construire, être consacrée. Elle est maintenant le lieu du rite, de la liturgie. Comme toutes les églises de l'ordre, elle est bâtie selon un plan de croix latine sur le terrain le plus haut du monastère. Nue, dépouillée de tout, elle se conforme parfaitement à la Règle : «*L'oratoire sera ce qu'indique son nom. On n'y fera, on n'y mettra rien qui n'ait rapport à sa destination*». Ici, donc, rien ne troublera l'âme. Même les objets du culte sont scrupuleusement réglementés : «*l'usage de croix d'or sera interdit; on devra se servir de croix de bois; un seul candélabre suffira... les encensoirs seront de cuivre et en fer, les chasubles, de chanvre, de lin et de laine, sans broderie d'or ni d'argent... les calices ne seront plus en or mais en argent ou en vermeil... la nappe des autels sera en toile de lin sans aucune décoration*».

Comme pour faire pendant à cette humilité, les moines prient de la plus belle manière : ils chantent. Nul instrument n'accompagne leurs voix. Leur chant est simple et la mélodie est celle du mot. Ce sont les chants grégoriens, dont les paroles en latin sont des psalmodies à la gloire du Divin. Par ce chant que les moines hissent dans la nef, c'est toute l'humanité qui communique avec Dieu. La dernière note de Vigiles s'éteint, les premières lueurs de l'aube apparaissent.

Le cloître, galerie Est vue vers le Sud.

Le cloître (3).

Les moines sortent de l'église par le bas-côté sud. Le cloître **(3)** est là, blotti sous le côté droit de la croix. Quatre côtés, c'est le carré. Comme les quatre évangiles, les quatre saisons, les quatre points cardinaux. Mais surtout comme le carré de la Jérusalem céleste dans l'Apocalypse. C'est ici que se lient le spirituel, la nature et le cosmos. C'est ici que se rencontrent les bâtiments où l'on prie, ceux où le corps a ses obligations et ceux où l'esprit s'exerce. Tout ici se rejoint, sous la lumière du ciel, au centre.

En ce moment les moines y prient, méditent en marchant sous les galeries. Silence encore. Le moine qui dirige les chants, le chantre, pénètre dans le cloître. C'est lui qui est responsable des livres. Il se dirige vers une grande armoire taillée dans l'épaisseur du mur en sortant de l'église à gauche. C'est l'armoire aux livres, l'armarium. Deux lourds volets de bois la ferment. Le chantre fait pivoter les portes sur leurs gonds. Des moines s'approchent. Les portes entr'ouvertes, les livres apparaissent, précieusement rangés à plat, recouvert d'une couvrure munie de rabats et de fermoirs. Ils sont peu nombreux.

Quelques ouvrages sur la vie des saints, un commentaire sur les psaumes peut-être. Mais quel trésor en cette époque ! Bientôt monte du cloître comme un léger bourdonnement. Les moines se répandent dans les galeries. Ils s'assoient avec les livres qu'ils lisent à voix haute.

La cloche retentit de nouveau. Le silence retourne au silence. C'est le signal du second office de la journée, les Laudes. Le jour s'est levé. De nouveau dans l'église

Page de droite :
La salle capitulaire.

La Vierge, Notre-Dame de Fontenay, XIIIème siècle.

sculpture, perfection de cet art médiéval de la fin du XIIIème siècle.

Le silence encore, la prière toujours.

**La sacristie (4),
La salle capitulaire (5),
Le parloir (6).**

L'office s'achève. Nous sortons de l'église par le transept sud. Nous franchissons une petite porte à gauche de l'escalier qui conduit au dortoir. Nous voici dans la sacristie **(4)**.

A la majesté presque sévère des aériennes voûtes de l'église succède un bas et puissant voûtement d'ogives qui supporte tout le poids du dortoir.

résonne le chant des moines : «*Béni soit Celui qui vient au nom du Seigneur. Soleil levant qui vient nous visiter, Lumière d'En-Haut sur ceux de la ténèbre qui gisent dans l'ombre de la mort*».

Dans le chœur naît une lumière de miel pur, coulant des trois fenêtres du chevet, symbole de la Trinité, le Père, le Fils et le Saint Esprit. Avec la clarté de cette aube naissante, la protectrice de l'abbaye apparaît. C'est la Vierge. Elle porte son Fils d'un subtil et maternel déhanchement ; Elle sourit, couronnée, drapée dans une longue robe. La clarté devient lumière. La Vierge se fait

Encore quelques mètres, un autre seuil, nous sommes dans la salle capitulaire **(5)**. Toute la communauté s'y rassemble une fois par jour après les Laudes. Que de souvenirs pour bien des moines... C'est ici que, postulants, ils ont reçu l'habit du monastère. La coule et le scapulaire qu'ils devront toujours porter. Une ceinture, un couteau, un stylet, une aiguille et un petit carré de tissu : les seuls biens matériels qu'un moine de Cîteaux puisse posséder puisque la propriété privée est interdite par la Règle.

Les moines s'assoient sur des bancs dans l'ordre où ils ont prononcé leurs voeux, le plus ancien en premier. Silence. Le père abbé commence à lire un chapitre de la Règle. C'est pour cela que les moines appellent aussi cette pièce la salle du chapitre. Ensuite le prieur commente le passage lu et annonce les saints fêtés en ce jour. Dans la galerie du cloître, les convers se sont regroupés autour de l'entrée et des larges baies. On tolère qu'ils écoutent. Mais alors que commence le chapitre des «coulpes» ils doivent disparaître. Dur moment que ce chapitre des «coul-pes». Les moines qui pensent avoir commis un manquement à la Règle se confessent devant leurs frères. Le père abbé va leur infliger de sévères sanctions...

C'est aussi dans la salle capitulaire que se prennent en commun les grandes décisions qui vont régir l'avenir de la communauté. Exceptionnellement, le silence est rompu. Cette fois on parle de la gestion de l'abbaye et de l'arrivée de nouveaux novices. Dans de tels débats, l'abbé, élu à vie, s'entoure d'un conseil d'anciens et consulte tous les moines qui ont alors voix au chapitre.

Maintenant le prieur, conseiller principal de l'Abbé et qui le remplace en cas d'absence, distribue les tâches de la semaine. Service divin ou domestique, chacun aura sa part, de l'église aux cuisines. Installé à une petite table, un frère inscrit le déroulement des servitudes. Le silence revient. Les moines sortent de la salle du chapitre, un frère suit le prieur dans le parloir **(6)** pour une rare entrevue en privé.

La salle des moines (7),
Le chauffoir (8),
Le jardin des simples (9),
L'infirmerie (10),
Le vivier (11).

Nous allons vers la salle des moines **(7)**. La pièce est grande, très longue, assez claire. Un mélange d'odeurs fortes et âcres emplit l'atmosphère. Aujourd'hui les moines viennent s'y faire raser et tonsurer. C'est une habitude, sept ou huit fois par an. Un autre frère subit la saignée. Vilains maux et mauvais fiels sont ainsi extirpés de son corps. En sortant d'ici il sera dispensé de travail manuel et verra sa nourriture agrémentée de quelques morceaux de viande. Deux ou trois jour seulement...

A côté, deux moines graissent abondamment des bottes qui serviront à parcourir, aux semailles, les champs retournés par le labour.

Un peu plus loin nous pénétrons dans la seule pièce chauffée de l'abbaye (avec les cuisines), le chauffoir **(8)**.

Là dans une lumière bleutée, des moines récitent un Pater, puis un Ave Maria et un Gloria Patri. Ce sont les moines copistes. Absorbés, studieux, sous la surveillance d'un maître ils commencent ensuite leur travail. L'un recopie un saint texte sur un parchemin tandis que les autres dessinent des enluminures. Un autre enfin coule de la cire fondue dans un mince moule d'ivoire. Lorsque la cire sera froide, il écrira avec un stylet sur les petites plaquettes de cire ainsi fabriquées quelques lignes pour le bon fonctionnement de l'abbaye.

Dehors, dans le petit matin frais, quelques moines se mettent en route pour les champs et pour les nombreuses fermes et granges que possède l'abbaye. Un groupe s'apprête à partir pour la mine. Car il y a bien une mine à Fontenay ! En sortant de l'abbaye, à l'ouest, nous empruntons quelques centaines de mètres un petit sentier à flanc de colline. Il nous conduit au plateau des Munières (dont l'appellation ne peut renier sa filiation avec le mot minière, exploitation de minerai à ciel ouvert) qui domine la vallée. Ici le sol calcaire contient du minerai. Non pas un de ces métaux précieux comme l'or ou l'argent, mais du fer. Le fer, en ces temps incertains, c'est une forme de puissance. Avec le fer on forge le soc de la charrue et celui de la houe mais aussi l'épée, la dague et le glaive. Le fer façonne toutes les puissances. Les moines savent cela et pour eux, c'est un élément essentiel de leur économie autarcique au service de Dieu...

Pendant que quelques moines continuent à prospecter le plateau en creusant des puits, d'autres extraient le minerai. Le travail est dur. On travaille dans des boyaux étroits. De temps en temps le prieur frappe dans ses mains. C'est le signal d'une courte pause. Puis le pic frappe de nouveau la paroi, éclate la roche. Les filons de la mine de Fontenay sont bons. La plupart ont une teneur en fer supérieure à 50%. Les moines le savent et, comme les convers, ils ne ménagent pas leur peine. Soudain un pic dégage

La salle des moines.

L'infirmerie.

un bloc de minerai. La terre fait son offrande. Les moines s'emparent de la précieuse découverte et, sur place, dans bas fourneau chauffé au bois de la forêt environnante, fondent la roche pour en faire un lingot. Encore chaud, celui-ci rejoint un pile d'autres lingots que les moines s'apprêtent à descendre à l'abbaye. Alors qu'ils en franchissent les portes, la cloche les appelle. Il est environ 9 heures 30, c'est le troisième office, Tierce. De nouveau le silence, l'église. Puis tous repartent à leur occupation.

Dans le jardin des simples (9), les plantes médicinales, plusieurs moines s'activent en parcourant les petites allées qui séparent les différentes planches où sont cultivés sauge, menthe, thym, fenouil. L'un d'eux sélectionne quelques plantes, les cueille avec soin et les emporte à l'infirmerie (10) où se reposent les frères malades.

Tout près du jardin des simples, dans le prolongement de la salle des moines, le vivier (11). C'est là, dans des cases, que sont élevées quelques truites qui amélioreront le quotidien monacal et qui seront, sous forme de pâté, un présent apprécié par le Duc de Bourgogne.

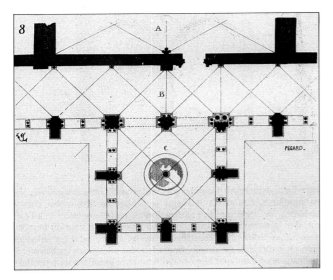

Le lavabo du cloître.
Reconstitution et dessin de Viollet le Duc.

Le lavabo (12),
Le réfectoire (13),
Les cuisines (14),
Le cellier (15),
Le dortoir des convers (16).

Il est midi. La cloche tinte. Une fois de plus dans l'église s'élève le chant des moines. Dans le choeur, surélevé de deux marches, officient prêtres et clercs. Le transept accueille les moines. Leur faisant face, assis sur des bancs plus bas, les novices. Au fond de l'église, derrière le jubé, sont venus prier les convers. A la fin de l'office, toute cette assemblée s'éparpille dans le monastère. En silence bien sûr. Puis, de nouveau, moins d'une heure plus tard ils s'en retournent prier. C'est Sexte, l'heure où Jésus fut crucifié.

Il est maintenant un peu plus d'une heure de l'après-midi. Le corps a faim. Les moines rentrent dans le cloître, se rendent au lavabo **(12)**, le lavatorium où arrive l'eau sous pression des canalisations souterraines. Lavés, purifiés, ils entrent maintenant au réfectoire **(13)**. Par petits groupes, ils prennent place autour des tables alignées le long des murs.

C'est le premier repas de la journée. La nourriture est préparée aux cuisines **(14)**, tout près du cellier **(15)** -au-dessus duquel se trouve le dortoir des convers **(16)**- où sont entreposées les provisions. Ni viande ni graisse pour les chevaliers de Dieu. Si les récoltes ont été bonnes, si le monastère n'a pas été pillé, ils auront des légumes et un peu de pain, parfois des oeufs, plus rarement du poisson. Mais il n'est pas rare de devoir se contenter de décoction de feuilles de hêtres, de glands ou de châtaignes. On mange en silence. Un frère, du haut d'une chaire, lit à haute voix des passages de la Bible.

Vient le seul instant de la journée où le moine peut se retrouver seul. Dans le dortoir, il a le droit de s'allonger, de se reposer un peu, de lire. Mais le silence, toujours, doit être respecté. Le repos est de courte durée. Moins d'une heure plus tard, il est environ deux heures de l'après-midi, les moines se retrouvent à l'église pour None. C'est l'heure de la mort de Jésus. Prière de tristesse. Puis le travail recommence. Vers le sud résonne un bruit sourd...

La forge (17).

C'est le martinet de la forge **(17)**. Avant de le découvrir, avant de pénétrer dans cet antre de la métallurgie médiévale, nous devons nous souvenir de la Règle :«*S'il est possible, le monastère sera construit de telle façon que tout le nécessaire, à savoir l'eau, le moulin, le jardin, soit à l'intérieur du monastère et que s'y exercent les différents métiers, pour que les moines ne soient pas forcés de se répandre à l'extérieur, ce qui ne convient nullement à leur âme.*»

A Fontenay l'eau a été maîtrisée, canalisée. On a très vite installé le moulin pour moudre céréales et graines **(18)**. Puis on a construit une forge.

Le bâtiment est immense. Trapu malgré ses 53 mètres de long, puissant bien que presque élégant. On le sent enraciné, ancré dans le sol de l'abbaye. Approchons. Justement voici les moines que nous avions suivis à la mine. Ils apportent les lingots qu'ils ont coulés sur le plateau des Munières. Avec eux nous pénétrons dans la forge. Stupéfaction ! Si nous n'étions pas entourés de moines cisterciens nous pourrions nous croire dans le repaire maléfique de quelques alchimistes. Les hautes salles voûtées sont enveloppées des vapeurs blanches de l'eau que les moines jettent sur le métal pour le refroidir. Le bruit est considérable. Il y a le fracas des masses sur les enclumes, le tumulte de la chute d'eau, le martèlement du martinet. Les moines attisent deux grands fours qui

La forge de Fontenay. Véritable "usine" employant le minerai de la colline voisine.

dévorent des monceaux de bois ramassés à longueur de journée par les convers. On va y jeter les lingots qui, réchauffés, sont amenés sous la lourde masse du martinet.

La chute d'eau derrière la forge. Elle entraînait le martinet.

En haut : "l'enfermerie".
Au centre : Le logis abbatial.
En bas : Le colombier.

Formidable machine que le martinet. C'est la rivière, canalisée le long de la forge en une chute d'eau de plus de 2 mètres de haut qui fait tourner sa roue. Celle-ci entraîne un arbre muni de cames qui soulève le marteau. Le vacarme est régulier. Le marteau tombe, tombe et tombe encore sur le lingot qui se purifie. Les scories volent en éclats luminineux, le lingot s'affine, devient un brûlant fragment de puissance.

Dehors, dans l'autre monde, le soleil se couche. La cloche sonne. Ce sont les Vêpres. Que s'arrêtent les bruits de la forge, voici venue de nouveau l'heure de la prière. Dans l'église les moines rendent grâce à Dieu pour cette journée de travail. N'ont-ils pas, une fois de plus, totalement obéi à la Règle : «*Si les moines vivent du travail de leurs mains, comme nos pères et les apôtres, c'est alors qu'ils seront véritablement moines*». Au sortir de l'église certains vont prier dans le cloître. Ils récitent avec lenteur la «Lectio Divina», une lecture priée de la Bible. Silence du corps, du coeur, de l'esprit. L'union avec Dieu est absolue.

**«L'enfermerie» (19),
Le logis des abbés commendataires (20),
Le pigeonnier (21),
L'hostellerie (22),
La chapelle des étrangers (23),
La boulangerie (24),
La porterie (25).**

Hors du cloître le calme s'étend. Un frère passe rapidement devant l'endroit où sera un jour édifié l'enfermerie (19). C'est là que seront précieusement conservés documents, livres et autres parchemins, toute la mémoire et la légitimité du monastère. Au cours des siècles, l'ignorance et la violence des hommes feront, hélas, disparaître cet inestimable trésor.

Un peu plus loin sera, au XVIIIème siècle, construit le logis des abbés commendataires (20) Ces prélats nommés par le roi ou le pape, souvent incompétents dans la gestion de l'abbaye, règneront sur celle-ci comme des princes, éloignant chaque jour un peu plus Fontenay de la Règle...

Pour l'instant tout est encore harmonieux. Dans le jour qui s'éteint, tous les bruits de la nature ont envahi le monastère. Devant l'église, les pigeons roucoulent doucement dans le colombier (21). Ils sont un des privilèges seigneuriaux de l'abbaye qui a le droit d'élever ces oiseaux à la chair si goûtée et à la fiente qui sert d'engrais. Mais tous les privilèges se paient. Si les moines peuvent avoir des pigeons, il leur faut, c'est bien la moindre des choses, accueillir de bonne manière Monseigneur le Duc de Bourgogne. Pour cela, on a construit tout près du colombier un chenil. Monseigneur peut y laisser sa meute de chiens courants lors de ses nombreuses et interminables chasses dans les forêts alentours.

Mais le Duc n'est pas le seul visiteur que reçoivent les moines. Avec moindres fastes, nombreux sont les seigneurs de passage, pèlerins et autres voyageurs, qui sont accueillis. On héberge aussi à l'abbaye un grand nombre de pauvres. Tous sont traités selon les termes de la Règle : *«comme le Christ.»* Pour les riches voyageurs on a construit une hostellerie (22) et une chapelle (23).

Bientôt la nuit. Dans la boulangerie (24) un moine prépare le four pour le lendemain, jour de cuisson du pain. Le manteau de la nuit enveloppe maintenant la vallée. Il est peut-être 7 heures du soir. Tandis que tous se rendent au réfectoire pour un dernier et très frugal repas, à la porterie (25), un vieux et sage moine ferme consciencieusement le lourd portail, caresse son chien qui se blottit dans sa niche de pierre. C'est ce frère qui, le jour de la commémoration de la Cène, choisit autant de pauvres qu'il y a de moines, les fait entrer dans le monastère où les religieux, dans la plus grande humilité, leur lavent les pieds.

Maintenant, bien enserrée par son long mur d'enceinte, l'abbaye, doucement, s'assoupit. En sortant du réfectoire, les moines se rassemblent dans le cloître, le long de la travée qui longe l'église. L'abbé fait une lecture et la commente. Puis, une dernière fois la cloche retentit. C'est l'ultime prière, Complies, suivie du Salve Regina. Il est un peu plus de huit heures du soir. Les frères confient leur âme à Dieu et, dans l'éternel silence, gravissent les marches du dortoir, s'allongent. Certains ont emmené avec eux la houe ou la bêche, précieux outils de leurs dures besognes. Le père abbé bénit ses fils, allume la petite chandelle, se retire dans sa cellule. L'univers de prière s'apaise, la terre de labeur s'endort. La création dort, le coeur des moines veille.

Fontenay, modèle d'architecture cistercienne.

Proposition pour une visite architecturale des bâtiments cisterciens les plus caractéristiques de l'abbaye.

(Les numéros entre parenthèses renvoient au plan, à la fin de la brochure)

Une architecture spirituelle ?

«Qu'est-ce que Dieu ? Il est longueur, largeur, hauteur et profondeur». Cette superbe phrase, nous la devons à Bernard de Clairvaux. Elle démontre qu'il fut un des premiers à formuler un raisonnement mettant en rapport Art et Spirituel. Pour Saint Bernard, homme religieux du Moyen Age, l'Art

Perspective sur les piliers du cloître.
Page de gauche :
Dans l'église, trois types de chapiteaux.

Page suivante :
Le cloître,
angle de la galerie Nord et de la galerie Est.

c'est avant tout celui des cathédrales, des chapelles et des monastères. C'est tout l'art de l'Eglise et de sa liturgie. Considérant l'énorme impact que vont avoir les certitudes spirituelles de cet homme sur l'Eglise médiévale, on comprend que ses volontés se retrouvent aussi, tout naturellement appliquées aux objets et aux bâtiments du culte cistercien. Bernard est ainsi le catalyseur d'une esthétique spirituelle. Les instruments, les vêtements de la liturgie monacale, la calligraphie des manuscrits de l'Ordre sont concernés. Bien plus encore, tous les bâtiments cisterciens sont, dès leur conception, sous influence «bernardine». Leurs formes, leurs volumes sont codifiés. L'ensemble des motifs et accessoires architectoniques et décoratifs les composant, sculptures, peintures, vitraux ou pavements, sont répertoriés. Il existe ainsi un véritable catalogue de formes cisterciennes comme les vitraux en grisaille réalisés dans une gamme précise de

coloris et d'entrelacs, les pavements de céramique aux motifs multiples ou les ferronneries de portes et de grilles à l'élégance toute en filigrane.

Cependant, rien en ces formes cisterciennes n'est le fruit du hasard. Le fonctionnel est sans cesse au service du spirituel. De plus, l'art véhicule tout un symbolisme esthétique. Ces principes régissent les dimensions d'un réfectoire ou d'un dortoir qui varient avec le nombre d'occupants. Mais d'autres paramètres peuvent être affectés. Il en est ainsi des proportions et des volumes des pièces. Une salle du chapitre ou un choeur d'église cisterciens obéissent aux lois de l'acoustique auxquelles les moines sont tout particulièrement sensibles tant pour leur chant que pour le respect du silence édicté par la Règle. Ainsi toutes les dimensions de l'église, réceptacle majeur du chant, sont basées et calculées sur des rapports arithmétiques identiques à ceux sur lesquels reposent les accords de la musique.

Enfin, influence primordiale, à l'époque où se construit Fontenay, le style roman est à son apogée. Ce n'est pas un art descriptif mais un art spirituel dont le but est de suggérer. Cela aussi nous le retrouverons dans les édifices de l'Ordre.

Juxtaposons maintenant l'influence bernardine et le fonctionnalisme esthétique de l'Ordre sur fond d'art roman.

Nous voyons apparaître l'architecture cistercienne.

Tout y est pensé, conçu, réalisé avec un souci de mesure, d'équilibre et de piété. Tout est à l'image de l'ordre de Cîteaux : à l'écart de tout excès du monde, dans le plus grand dénuement matériel.

Les édifices cisterciens sont extérieurement simples, clairs. Ils ne peuvent renier une influence de l'Orient des pères fondateurs de l'Ordre. Ils sont réalisés dans des matériaux bruts. Mais ces matières sont parfaites. Même si on doit aller les chercher fort loin. Leur aspect est sans défaut, leur taille d'une grande finesse, leur ajustement irréprochable. Enfin, comme les cisterciens veulent se démarquer des clunisiens, les bâtiments seront plus austères que ceux des moines noirs. A l'intérieur, on ne trouve ni peintures ni fresques. *«La forme est essentielle à l'être»* disait Saint Bernard. Quant aux sculptures elles sont inexistantes ou réduites pour les chapiteaux, colonnes etc...à leurs plus simples expressions par des motifs représentant des feuilles d'eau.

Pour alléger cette austérité, la lumière est apprivoisée, savamment dosée, intelligemment répartie.

Ainsi paré le bâtiment cistercien résume la volonté du Chapitre de l'Ordre édictée en 1150 : *«Nous interdisons que l'on fasse des sculptures ou des peintures dans nos églises et dans les autres lieux du monastère, parce que, lorsqu'on les regarde, on néglige souvent l'utilité d'une bonne méditation et la discipline de la gravité religieuse.»*

Techniquement, pour réaliser leur univers terrestre, les moines de Cîteaux font appel à la voûte et à l'arc brisé permettant de maîtriser toutes les poussées. Avant ils ont conçu leurs plans à partir du carré -donc de l'angle droit- qui régule et ordonne tous les volumes. La courbe, lorsqu'elle est nécessaire, est rendue nue, sans volupté. Enfin, leurs calculs se font en utilisant le plus souvent possible le «Nombre d'or», nombre d'origine pythagoricienne exprimé par la formule $\varphi = (1 + \sqrt{5})/2 = 1,61803\ ...$ et considéré comme un canon de proportions.

Cette géométrie céleste, ce monde d'abstraction nous allons maintenant le retrouver à Fontenay, en cette abbaye que beaucoup considère comme le plus fidèle reflet des voeux de Saint Bernard en terme d'architecture, en ce parfait exemple d'architecture cistercienne.

L'église, coté Nord.

Porche de l'église.
Reconstitution et dessin de Viollet le Duc.

L'église (2).

Edifice majeur, l'église règne. C'est autour d'elle que s'ordonnent tous les autres bâtiments. Malgré ses dimensions imposantes (66 mètres de long, 19 de large), son volume est sobre. Nul flèche ou clocher de pierre (ils sont proscrits par le Chapitre de 1157) ne s'élance vers le ciel. Son toit est au même niveau que les édifices voisins. Il est couvert de tuiles rondes -d'un modèle peu courant muni de deux crochets de terre- qui ne sont pas sans rappeler les édifices romains tout comme les corniches agrémentées de modillons à copeaux qui courent en haut des murs.

La façade Ouest de l'église.

Page suivante : la nef de l'église.

Véritable Jérusalem céleste, plus que tout autre construction à Fontenay, l'extérieur de l'église respire une influence orientale. Peu d'ouvertures, une réelle impression de puissance renforcée par de hauts contreforts, c'est bien là une forteresse que vont habiter les chevaliers de Dieu.

L'orientation de l'église n'est pas parfaitement cistercienne. Son choeur n'est pas pointé plein est mais dirigé au nord-est. Peut être l'étroitesse du vallon est-elle la conséquence de cette disposition.

La façade ne fut pas toujours telle que nous la découvrons aujourd'hui. Servant de transition entre vulgaire et sacré, un porche y était adjoint et l'on peut encore voir les corbeaux qui servaient à soutenir son toit. En plus du portail, deux petites portes latérales, dont les traces subsistent, existaient. Elles répondent aux coutumes cisterciennes pour entrer dans l'église : par celle du nord pénètrent les invités, par celle du sud les convers.

En franchissant le seuil nous arrivons dans l'espace des processions, des rites et

Perspective du collatéral Nord vue de l'Est.

Page suivante :
Elévation Nord de la nef, vue de la croisée du transept.

sans claire-voie alors que beaucoup d'abbayes soeurs sont pourvues d'une élévation à trois étages. Dans les bas-côtés, les huit travées de la nef déterminent autant de voûtes qui forment ainsi une suite de seize chapelles.

Les chapelles possèdent des voûtes en berceau brisé perpendiculaires à l'axe de la nef. Elles sont séparées les unes des autres par des arcs en tiers-point. Le long du mur, ces arcs ne reposent pas comme habituellement en architecture cistercienne sur des culots mais sur des colonnes allant jusqu'au sol. Ces chapelles, dans lesquelles prenaient place des autels, étaient des lieux de culte dédiés à des saints comme Saint Jean, ou destinés à des nobles comme les ducs de Bourgogne.

La nef précède un transept également voûté en berceau brisé mais plus bas que la croisée dont la voûte se raccorde à celle de la nef.

Dans chaque croisillon, sont construites des chapelles rectangulaires fermées par des murs droits, voûtées en berceau brisé. Dans le croisillon sud-est se trouve une porte donnant sur la sacristie et l'escalier menant au dortoir. Dans le croisillon nord-ouest s'ouvre la «porte des morts» par laquelle les moines décédés étaient portés au cimetière.

des prières. Pour le parfait accomplissement de cette liturgie, le plan en croix latine des églises de l'Ordre est immuable tout comme cette nef allongée et ses couloirs parallèles. La nef de l'église de Fontenay est composée de huit travées, recouvertes d'une voûte en berceau brisé, divisée et soutenue par des doubleaux reposant sur des colonnes engagées. Cette voûte culmine à 16,70 mètres du sol. L'élévation de l'église n'est pas conforme aux habitudes architecturales cisterciennes. En effet elle n'est composée que d'un seul étage muni de grandes arcades

La nef vue du choeur.

Dans l'église, le tombeau du seigneur de Mello et de sa femme, bienfaiteurs de l'Abbaye.

Le choeur de l'église est carré, surélevé de deux marches et fermé par un chevet plat, voûté lui aussi en berceau brisé. C'est ici que l'on trouve la pierre tombale de Ebrard, évêque de Norwich et le tombeau du seigneur Mello d'Epoisse et de son épouse, bienfaiteurs de l'abbaye à la fin du XIVème siècle.

L'ensemble des sculptures et décorations de l'église est à l'image des critiques de Saint Bernard pour les moines de Cluny : *«Sans parler de l'immense élévation de vos oratoires, de leur longueur démesurée, de leur largeur excessive de leur décoration somptueuse et de leurs peintures plaisantes, dont l'effet est d'attirer sur elles l'attention des fidèles et de diminuer le recueillement».* Les murs de l'église ne comportent donc ni peintures ni fresques. Beaucoup de chapiteaux ne portent aucun décor. Lorsque certains sont sculptés, ils adoptent des motifs de feuilles pleines, lancéolées ou de très discrets rubans en forme de demi-ronds enlacés, tressés en guirlande. Sur le sol du choeur on trouve quelques carreaux de terre cuite émaillée rouges à motifs jaunes mais ils ne furent disposés là qu'au XIIIème siècle, lorsque la Règle devint moins observée.

Dans cet immense vaisseau de pierre, la lumière joue un rôle essentiel. La nef est éclairée par sept symboliques fenêtres disposées sur la façade et par d'autres situées dans l'abside, l'avant-choeur et les bas-côtés. Très savamment distribuées pour capturer toutes les clartés du jour, ces fenêtres sont munies de verrières composées de verres blancs, gris et verts pâles, sertis dans un cordon de plomb. Ce sont là des copies, sûrement très proches, des vitraux d'origine ayant disparu au cours des siècles. Là encore les volontés du Chapitre général de 1134 qui voulait que les verrières soient : *«blanches, sans croix et sans peinture»* sont fidèlement observées.

Les voûtes en ogives d'un collatéral de l'église.

Le dortoir (1).

Au-dessus du dortoir, mais construit sur le mur pignon de l'église, on aperçoit le clocher de l'abbaye. Il s'agit d'un bien modeste campanile abritant deux cloches. Sur sa face sud est sculpté un écusson portant la crosse abbatiale. C'est en fait la version ancienne et simplifiée des armes de l'abbaye qui deviennent en 1698 : *«De gueules à trois bandes d'or et deux bars adossés au naturel, brochant sur le tout et surmontés d'une fleur de lis d'or»*. Une description qui nous rappelle par sa fleur de lis que Fontenay eut le privilège d'être abbaye royale.

Le dortoir s'étend sur la totalité de la salle capitulaire et de la salle des moines mais devait se prolonger à son origine au-delà de cette salle. Lors de la construction de l'abbaye, le dortoir était couvert d'une voûte. Elle s'écroula à la suite d'un incendie à la fin du XVème siècle et remplacée par une charpente en bois de châtaignier que l'on voit, intacte, aujourd'hui.

En haut : Le chevet.
A droite : Les armes de l'Abbaye.
En bas : La charpente du dortoir.

Le cloître : la galerie Sud et les cheminées Romanes.

Le cloître (3).

Si l'église ordonne les bâtiments du monastère, le cloître les organise. Il est la charnière entre «*orare et laborare*», prière et travail. A Fontenay sa situation est dans le parfait esprit architectural cistercien. Sur l'un de ses côtés, l'église. A l'opposé les bâtiments pour les besoins matériels, réfectoire, cuisine, chauffoir. Sur sa galerie la plus orientale les salles de travail intellectuel comme le chapitre et sur sa galerie la plus occidentale, les bâtiments réservés aux convers.

Nous sommes ici dans l'univers du carré, même si le cloître de Fontenay mesure 38 mètres sur 36... Les quatre galeries du cloître forment chacune huit travées. Ces travées sont constituées par une archivolte encadrée à l'extérieur de deux contreforts. Chaque archivolte est composée de deux arcs supportant un tympan plein et reposant sur des colonnettes accouplées portant sur

Les archivoltes du cloître.

un bahut. Sur chaque galerie des archivoltes sans tympan ni bahut forment des ouvertures simples ou doubles donnant sur le jardin central. Les quatre angles du cloître reposent sur de superbes piliers formés d'un pilastre central encadré de colonnettes jumelées. Les galeries sont voûtées en berceau brisé où viennent s'inclure les petits berceaux venant des archivoltes.

Aucune galerie n'est construite de la même façon, notamment leur voûtement n'est pas identique. Les colonnettes formant les piliers sont aussi groupées de manière différente. Certaines ont la même assise, tandis que d'autres sont réunies par quatre autour d'un pilier ou d'une colonne centrale taillée à même le bloc.

Tout comme dans l'église, la simplicité des sculptures des chapiteaux est remarquable. Là aussi tout n'est que feuilles d'eau aux volutes à peine suggérées, parfois enlacements de rubans en demi-cercle.

Trois sortes de chapiteaux du cloître.

Page de droite en haut :
galerie Est du cloître vue vers le Nord.
Page de droite en bas :
galerie Sud du cloître vue de l'Est.
Sur le sol, dallage marquant le passage
réservé au Père Abbé.

Page suivante : le cloître,
splendeur de l'art cistercien.

La salle capitulaire (5).

L'entrée principale de la salle capitulaire ou salle du chapitre se trouve dans la galerie est du cloître. Cette entrée est à elle seule un magnifique témoignage de l'art cistercien. Elle est formée par une grande arcade cintrée où, de chaque côté, quatre gros boudins s'appuient sur autant de colonnettes dont chapiteaux et bases sont identiques à ceux des galeries du cloître. Enfin, deux doubles baies à plein cintre encadrent cette entrée.

L'ensemble est tout à fait symbolique : la salle où les moines se retrouvent pour évoquer de nombreux sujets confidentiels à leur communauté est celle qui possède la plus grande ouverture. La démonstration est limpide : si les cisterciens veulent être en retrait du monde ils n'ont aucunement l'intention d'en être séparés.

La salle capitulaire possédait à son origine trois travées. La travée orientale fut certainement détruite lors de l'incendie de 1490. Les deux travées restantes possèdent des voûtes sur croisées d'ogive et sont divisées par des arcs doubleaux reposant sur des

La salle des moines.

Page de gauche : la salle capitulaire, entrée principale donnant sur le cloître.

faisceaux de colonnettes entourant un noyau central. Les clefs de voûte sont chacune sculptée d'une fleur, différente à chaque clef, tandis que les chapiteaux reçoivent des motifs de feuilles d'eau.

La salle des moines (7).

La salle des moines est d'une architecture plus sévère et plus sobre que la salle capitulaire. Elle est aussi beaucoup plus grande puisqu'elle mesure trente mètres de long. Cette salle est recouverte par douze voûtes d'ogives formant six travées et deux nefs. Les arcs d'ogives et les doubleaux des voûtes retombent sur quatre grosses colonnes et un pilier octogonal central tandis que

sur les murs ils aboutissent à des culots en forme de pyramide renversée qui permettaient de dégager l'espace sous les retombés pour y placer meubles ou objets. Des fleurs de lis terminent certaines retombées des ogives sur les piliers.

La salle des moines et la salle capitulaire possèdent toutes deux un puissant voûtement destiné à supporter le poids du dortoir qui les surplombe sur toute leur surface.

Le lavabo (12).

En face de l'entrée du réfectoire, en saillie sur le jardin du cloître se situait le lavabo ou lavatorium. Il était carré, porté par des arcades similaires à celle du cloître formant deux travées couvertes de quatre voûtes d'arrêtes. En son centre, une colonne centrale soutenant les voûtes passait au tra-

Le lavabo du cloître. Reconstitution et dessin de Viollet le Duc.

vers d'une grande vasque circulaire surmontant un bassin inférieur. L'eau arrivait sous pression par des canalisations et son évacuation se faisait par un conduit qui existe encore et qui rejoint un petit canal passant sous la salle des moines et le réfectoire. C'est en ce lieu qu'à défaut d'une rigoureuse propreté, les moines, symboliquement, se purifiaient.

Le réfectoire (13).

Placé selon une disposition classique aux abbayes cisterciennes, le réfectoire de l'abbaye de Fontenay était situé perpendiculairement à la galerie du cloître opposée à l'église. Cette disposition permet de dégager plus de place pour les autres bâtiments. Les moines y pénètrent après leur passage au lavabo par une porte encore visible dans le cloître, seul témoignage du réfectoire avec la face intérieure d'une travée disposée sur le mur de «l'enfermerie».

Le réfectoire que nous décrivons n'est certainement pas celui des débuts de l'abbaye. Il date du XIIIème siècle et a dû remplacer un premier édifice lors de l'augmentation du nombre des frères. Il était divisé en long par une file de cinq faisceaux de huit colonnettes formant deux nefs. Ces faisceaux recevaient les retombées de douze voûtes sur croisées d'ogives. Le réfectoire était éclairé par quatre fenêtres superposées dans chaque travée et quatre autres sur le pignon sud. Une chaire construite dans un encorbellement en forme de tribune avec un escalier creusé dans le mur aurait pu être construite dans le réfectoire. C'est au premier étage de ce bâtiment que se trouvait le dortoir des convers.

III - LE MONDE CISTERCIEN, UNITE DE VIE, MODELE DE SOCIETE.

«Si les moines vivent du travail de leurs mains, comme nos pères et les apôtres, c'est alors qu'ils seront véritablement moines»
Saint Benoît

Une économie performante

L'abbaye, aussi belle soit-elle, n'est qu'un élément de l'univers cistercien. Elle est une des composantes visibles, palpables, de leur mode de vie quotidien. Ce mode de vie sera élevé au rang d'une règle, d'une philosophie, et soutiendra toute l'expansion de l'Ordre. Ses caractéristiques, évoluant au cours des siècles, ont fait la gloire puis la perte des cisterciens.

Ce mode de vie c'est avant tout un système économique. Un système imaginé par des hommes du Moyen Age qui voulaient être moines et vivre dans le dénuement le plus complet. Mais ces hommes étaient issus d'une jeune intelligentsia aristocrate et voulaient aussi devenir chevalier de Dieu pour conquérir de nouveaux territoires spirituels. Ainsi les monastères sont organisés comme des avant-postes, citadelles de première ligne. C'est à partir de ces bastions, s'ils réussissent spirituellement, mais aussi économiquement, que pourra s'étendre le mouvement cistercien.

Ce système économique est basé au début de l'aventure de l'Ordre, vers 1100, sur l'autosuffisance. Mais dès le début des implantations, le système est faussé puisque les fondations d'abbayes reposent sur des dons. Il n'est donc déjà plus question d'autosuffisance. Les dons vont même devenir de plus en plus nombreux au fur et à

Moine moissonneur. Moralia in Job
(Cîteau, début XIIème siècle)
Dijon, Bibliothèque municipale.

mesure que les communautés prospèrent. Ces donations revêtent très souvent la forme de terres peu cultivées par des seigneurs ou un clergé aux revenus confortables. Ces terres, dont souvent personne ne veut, les cisterciens vont admirablement en tirer parti. Ce sont des hommes de savoir et ils vont appliquer à leurs domaines les derniers progrès en matière agronomique. Ils sont les champions de l'innovation, c'est là leur vrai génie.

D'un autre côté, même si les moines travaillent eux-mêmes dans les champs, ils sont aidés par les convers et si les moines sont les chevaliers de Dieu, les convers en seront les fantassins.

L'agriculture n'est pas le seul secteur où excellent les cisterciens. Si les rende-

Cartes des Abbayes cisterciennes habitées par des Moines cisterciens, en France et de nos jours.

ments de leurs terres sont exceptionnels, l'élevage, la forêt, la vigne ou la sidérurgie - comme à Fontenay- leur réussissent aussi. Très vite, aux alentours de 1175, le stade de l'autosuffisance est dépassé. Les exploitations sont largement excédentaires et on passe du stade de l'échange à celui de la commercialisation. Les abbayes possèdent dans les grandes villes des maisons de commerce. Parallèlement les dons en terre s'amenuisent. Alors, aux terres, les moines préfèrent des exonérations comme celle que donna en 1259 Saint Louis à Fontenay en l'exonérant de tout droit fiscal. Quant aux bijoux et à l'orfèvrerie ils les convertissent en bonne monnaie d'or... De plus, dès la seconde moitié du XIIème siècle, ils peuvent percevoir dîmes, tailles et impôts divers tandis qu'aux convers succède une main d'oeuvre salariée, les «mercenarii».

Le résultat se passe de commentaires. Clairvaux gère 28 000 hectares, Alcobaça en Espagne 40 000. Les abbayes anglaises du Yorkshire possèdent plus de 100 000 moutons, Obazine détient 26 granges et en 1250 Vaucelles vend 3 000 hectolitres de vin excédentaire à Reims tandis que Cîteaux ne cesse de mettre en chais les vins de son clos Vougeot.

Fontenay n'échappe pas au succès. L'abbaye possède des biens et des prérogatives dans plus de 120 bourgs et bourgades, exerce un droit de seigneurie sur dix villages, le tout sur un territoire allant de Tonnerre à Beaune, de Dijon à Troyes. Près de 300 moines et sûrement autant de convers travaillent à la terre dans ces villages mais aussi dans des porcheries, des bergeries ou des vignobles. Au monastère lui-même, hormis le métal de la forge, on fabrique des tuiles, de la verrerie et on élève des truites. Dans les campagnes avoisinantes naît un dicton railleur : *«Partout où le vent vente, Fontenay a rente»*

Un gouvernement modèle.

Rien dans cette réussite n'aurait pu se produire sans que l'Ordre possède une forme très évoluée de gouvernement. Celui-ci est basé sur une indépendance communautaire. Ainsi l'abbé-père de l'abbaye fondatrice - Clairvaux pour Fontenay- fait des visites dans les communautés pour voir si la Règle est bien observée. Une fois par an tous les abbés se réunissent en chapitre général. Enfin toutes les abbayes sont liées entre elles par la «Charte de Charité».

Malgré, mais aussi à cause de cette économie performante, de ce gouvernement modèle, les cisterciens vont être victimes de leur succès qui se retrouve renforcé par l'évolution générale de l'économie occidentale. On assiste de 1175 à 1250 à la déstabilisation du système mis en place.

Des fermes sont mises en fermage, voire vendues. Lorsque les moines rachètent un village, si leur exploitation est gênée par les paysans, ils les chassent. Fontenay là aussi est touché. Au village de Fontaines-les-Sèches qu'on leur donne les moines établissent la sévérité du cloître. Les femmes ne peuvent plus puiser de l'eau aux puits ni pénétrer dans les maisons occupées par les convers.

Le mécanisme de gouvernement est aussi grippé. Comment Saint Bernard, abbé-père de Clairvaux peut-il visiter près de 70 abbayes filles de 1153 ? Comment l'Ordre peut-il réunir en même temps les abbés des 647 monastères que compte l'Ordre en 1250? On nomma un hiérarchique comité directeur, «le définitoire», puis, au XVème siècle vint le temps de la «commende». Des abbés, non cisterciens, membres du clergé et parfois même laïcs, nommés par influence, saignèrent à blanc les restes des ressources de la plupart des abbayes. Le chapitre général disparut. La révolution fit le reste et le dernier abbé de Cîteaux mourut en 1797.

Le renouveau ?

Les quelques cisterciens restant se regroupèrent en congrégations d'observances très diverses. On vit, en 1898, huit moines retourner à Cîteaux démentellée à la Révolution. Cette tendance au regroupement se précisa au XIXème siècle et aboutit à deux branches indépendantes. La première est l'Ordre de Cîteaux dit aussi de la Commune Observance. Il comporte 77 maisons de moines et 89 de moniales. La seconde est l'Ordre Cistercien de la Stricte Observance issu, entre autres, du Monastère de la Trappe d'où le surnom de «trappiste» donné à ses membres. De cet ordre dépendent aujourd'hui 91 maisons de moines et 60 de moniales. L'ensemble de ces 317 monastères, abritant plus de 7 000 moines et moniales, est réparti dans le monde entier.

Est-ce sur ces bases que renaîtra le rêve de Bernard ?

Moines bûcherons. Moralia in Job
(Cîteau, début XIIème siècle)
Dijon, Bibliothèque municipale.

Orientation bibliographique :

- Monographie de l'abbaye de Fontenay par l'abbé J.B Corbolin
  Imprimerie et librairie Cîteaux 1882

- Le rêve cistercien par Léon Pressouyre
  Découvertes Gallimard/C.N.M.H.S.

- L'abbaye de Fontenay par Lucien Bégule
  A. Rey Imprimeur-Editeur Lyon.

- Les dossiers du Musée des Tissus
  Edouard Aynard, le fondateur du musée
  Chambre de Commerce et de l'Industrie de Lyon.

- Saint Bernard et l'art cistercien par Georges Duby
  Champs Flammarion.

- Abbaye de Sénanque : Editions Gaud.
- Abbaye de Fontfroide : Editions Gaud

- Restauration de l'abbaye de Fontenay par Denis Cailleaux
  Bulletin archéologique du C.T.H.S nouv. sér., fasc.19 A, p.
  69-95, Paris, 1987.

- Saint Bernard et le monde cistercien, C.N.M.H.S. 1992.

- La vie religieuse en France du VIIe au XXe siècle par
  Mgr. Lestoquoy, Albin Michel 1964.

Remerciements :

Monsieur et Madame Hubert Aynard, Docteur André Montenot, Père Jean-Pierre, prieur de Sénanque, Monsieur Jean-François Leroux, Président de la Charte des Abbayes cisterciennes.

Crédits photographiques :

Photographies Editions GAUD / Photographie Beaujard pages 24/25 / Photographies Bibliothèque municipale de Dijon pages 2/5/61/63/4 ème de couverture.

EDITIONS GAUD 77950 MOISENAY (1994).
2 ème édition Dépôt légal : 3 ème trimestre 1996
ISBN : 2-84080-022-5 édition française / ISSN : 1270 - 9085